6,80/2

Zu diesem Buch

Sprachen leben. Ihre Ausdruckskraft wird bestimmt von Redensarten, die in bildhafter Form Situationen beschreiben. Redensarten, die den besonderen Reiz, das Fluidum einer Sprache ausmachen. Erst wenn man sie beherrscht, spricht man eine fremde Sprache wirklich. Erst dann erlebt man eine fremde Sprache.

In diesem Buch sind über 400 der gebräuchlichsten Wendungen versammelt – wörtlich übersetzt und mit der sinngemäßen Entsprechung im Deutschen. Mit ihnen vertraut, kann man Englisch «bildschön» sprechen. Talk one's head off – den Kopf runterreden – dumm und dämlich quasseln.

Hans-Georg Heuber ist Deutscher, Werbemann und einer von denen, die es satt haben, immer zu den falschen Wortbildern zu greifen.

Hans-Georg Heuber

Talk one's head off

Ein Loch in den Bauch reden

Englische Redewendungen
und ihre deutschen ‹opposite numbers›

Mit Zeichnungen
von Birgit Rieger

Rowohlt

Originalausgabe
Redaktion Manfred Waffender
Umschlagentwurf Birgit Rieger

19.–33. Tausend Oktober 1982

Veröffentlicht im Rowohlt Taschenbuch Verlag GmbH,
Reinbek bei Hamburg, August 1982
Copyright © 1982 by Rowohlt Taschenbuch Verlag GmbH,
Reinbek bei Hamburg
Satz Rockwell (Linotronic)
Gesamtherstellung Clausen & Bosse, Leck
Printed in Germany
680-ISBN 3 499 17653 X

Vorwort

Seit über zehn Jahren arbeite ich als Werbemann mit Engländern beziehungsweise Amerikanern zusammen. Ich habe zudem mehrere Jahre unter ihnen gelebt. Hautnah konnte ich erleben, wie wenig noch so perfektes Schulenglisch mit der wirklichen Sprache gemein hat. Wie schnell man auf dem Glatteis sitzt, wenn es um fließende Konversation geht oder wenn man den Partner wirklich verstehen will. «It's all Greek to me» – Ich verstehe nur Bahnhof. Da fehlen dann die richtigen Wortbilder, die man nie gelernt hat.

«Let's face the music» – Die Suppe habe ich dann begonnen auszulöffeln. Ich habe angefangen, typische Wortbilder zu sammeln und zu ordnen. Und – «In for a penny, in for a pound» – Wer A sagt, muß auch B sagen: Das Resultat ist dieses kleine Buch. «Let's paint the town red» – laßt uns einen draufmachen. «Between you and me and the gatepost» – also unter vier Augen – das Zusammentragen der Wortbilder hat viel Spaß gemacht.

Wie das Leben so spielt, ich lernte Marie-Thérèse Pignolo kennen, eine Französin, die in Hamburg als Sprachlehrerin tätig war. Sie arbeitete an einer französisch-deutschen Wortbildersammlung. Seitdem gilt für uns «to get on like a house on fire» – wir sind dicke Freunde geworden. Das Buch «Ne mâche pas tes mots» – Nimm kein Blatt vor den Mund – französische Redewendungen und ihre deutschen Pendants – befindet sich seit März 1982 auf dem Markt.

Dank sagen möchte ich an dieser Stelle Alfred Clayton, meinem englischen Freund, der ebenfalls Sprachen lehrt. «He was there before you could say Jack Robinson» – er war ruck-zuck da, als es darum ging, dem Buch den Feinschliff zu geben.

H. G. Heuber

Inhalt

1. In der

Klemme sitzen

To make both ends meet
Beide Enden zum Treffen bringen
Sich nach der Decke strecken

To be in a tight corner
In einer engen Ecke sein
In der Klemme sitzen

To be in a tight squeeze
In einer engen Presse sein
In der Klemme sitzen

Between the devil and the deep blue sea
Zwischen dem Teufel und dem tiefen blauen Meer
Zwischen Baum und Borke

*

To be in Davy Jones's locker
In Davy Jones Schließfach
Abgesoffen

*

To kiss the dust
Den Staub küssen
Ins Gras beißen

*

To bite the dust
Den Staub beißen
Ins Gras beißen

*

To kick the bucket
Den Eimer umstoßen
Abkratzen

*

To beat about the bush
Um den Busch herumschlagen
Wie eine Katze um den heißen Brei schleichen

Like a bolt from the blue
Wie ein Pfeil aus dem Blauen
Wie ein Blitz aus heiterem Himmel

*

That was a close shave
Das war eng rasiert
Das ging beinah ins Auge

*

It's raining cats and dogs
Es regnet Katzen und Hunde
Es regnet Bindfäden

To be sold down the river
Den Fluß hinunter verkauft sein
Verraten und verkauft

*

He's as dead as mutton
Er ist tot wie Hammelfleisch
Er ist mausetot

*

He's as dead as a dodo
Er ist tot wie ein Dodo
Er ist mausetot

*

He's as dead as a doornail
Er ist tot wie ein Türnagel
Er ist mausetot

*

A drop in the bucket
Ein Tropfen im Eimer
Ein Tropfen auf dem heißen Stein

*

It's sink or swim
Geh unter oder schwimm
Vogel friß oder stirb

*

We're not out of the wood yet
Wir sind noch nicht aus dem Wald
Wir sind noch nicht über den Berg

To face the music
Der Musik gegenüberstehen
Die Suppe auslöffeln

*

That's the snag
Das ist der lose Faden
Da liegt der Hase im Pfeffer

*

In for a penny, in for a pound
Rein für 'nen Penny, rein für 'n Pfund
Wer A sagt, muß auch B sagen

*

To push up the daisies
Die Gänseblümchen hochtreiben
Sich die Radieschen von unten angucken

*

To shut the stable door when the horse has bolted
Die Stalltür schließen, wenn das Pferd ausgerissen ist
Den Brunnen zudecken, wenn das Kind ertrunken ist

*

By the skin of one's teeth
Bei der Haut seiner Zähne
Mit Hängen und Würgen

To sit on the fence
Auf dem Zaun sitzen
Zwischen zwei Stühlen sitzen

*

On the spur of the moment
Am Sporn des Augenblicks
Hals über Kopf

*

It sets my teeth on edge
Das setzt meine Zähne auf den Rand
Es geht mir durch Mark und Bein

Today of all days
Heute von allen Tagen
Ausgerechnet heute

＊

I wouldn't touch it with a barge pole
Ich würde es nicht mit einer Bootstange berühren
Ich würde es nicht mit der Feuerzange anfassen

＊

She wouldn't say boo to a goose
Sie würde eine Gans nicht erschrecken wollen
Sie würde nicht mal pieps sagen

＊

That's a bit fishy
Das ist ein bißchen fischig
Das ist nicht ganz geheuer

＊

To leave someone in the lurch
Jemanden im Nachteil lassen
Jemanden im Stich lassen

＊

To cut one's coat according to one's cloth
Seinen Mantel nach seinem Stoff schneiden
Sich krummlegen

To make a howler
Einen groben Schnitzer machen
Einen Bock schießen

*

To be in a cold sweat
In kaltem Schweiß sein
Blut und Wasser schwitzen

I've had it
Ich habe es gehabt
Ich werde einen draufbekommen

My goose is cooked
Meine Gans ist gekocht
Das Ding ist gelaufen

To be scared stiff
Vor Schreck erstarren
Eine Heidenangst haben

*

To take to one's heels
Zu seinen Fersen nehmen
Die Beine in die Hand nehmen

*

To turn tail and run
Den Schwanz drehen und rennen
Fersengeld geben

*

To vanish into thin air
In dünner Luft verschwinden
Von der Bildfläche verschwinden

*

To put something on the scrap heap
Etwas auf den Abfallhaufen tun
Etwas zum alten Eisen werfen

*

The black Maria
Die schwarze Maria
Die grüne Minna

To go to the dogs
Zu den Hunden gehen
Unter die Räder kommen

Out of the frying pan into the fire
Aus der Pfanne ins Feuer
Vom Regen in die Traufe

Charity begins at home
Wohltätigkeit beginnt zu Hause
Das Hemd ist näher als der Rock

Blood is thicker than water
Blut ist dicker als Wasser
Das Hemd ist näher als der Rock

My heart is in my boots
Mein Herz ist in meinen Stiefeln
Das Herz ist mir in die Hose gerutscht

To be in a blue funk
In einer blauen Angst sein
Die Hosen voll haben

✳

To shit bricks
Backsteine scheißen
Aus Angst in die Hosen scheißen

✳

He's on his last legs
Er ist auf seinen letzten Beinen
Er pfeift aus dem letzten Loch

To eat humble pie
Die bescheidene Pastete essen
Kleine Brötchen backen

✻

To have butterflies in one's stomach
Schmetterlinge im Bauch haben
Manschetten haben

✻

To have kittens
Kätzchen haben
Manschetten haben

✻

To send someone to Coventry
Jemanden nach Coventry schicken
Jemanden kaltstellen

✻

To draw in one's horns
Die Hörner reinziehen
Sich krummlegen müssen

✻

To be in a pickle
In einem Pökel sein
In der Patsche sitzen

To be in a jam
In der Marmelade sein
In der Patsche sitzen

*

To be in the soup
In der Suppe sein
In der Patsche sitzen

*

To get into hot water
Ins heiße Wasser kommen
In Teufels Küche kommen

To be in deep water
Im tiefen Wasser sein
In der Klemme sitzen

✳

To be up a gum tree
Auf einem Gummibaum sitzen
In der Klemme sitzen

✳

To be in a mess
In Unordnung sein
In der Tinte sitzen

✳

To be on a sticky wicket
Auf einem klebrigen Cricket-Feld sein
In der Tinte sitzen

✳

To go down the drain
Den Abfluß hinunterlaufen
In die Binsen gehen

✳

To go west
Westwärts gehen
Über den Deich gehen

Shot-gun wedding
Schrotflinten-Heirat
Mußehe

∗

Dutch courage
Holländischer Mut
Angetrunkener Mut

∗

A blind alley
Eine blinde Gasse
Eine Sackgasse

∗

I can't squeeze blood out of a stone
Ich kann kein Blut aus einem Stein quetschen
Ich kann es mir nicht aus den Rippen schneiden

∗

To be on one's beam-ends
An den Querbalkenköpfen sein
Auf dem Trockenen sitzen

∗

It never rains but it pours
Es regnet niemals, aber es schüttet
Ein Unglück kommt selten allein

To be on the wrong tack
Die falschen Segel gesetzt haben
Auf dem Holzweg sein

*

To get hold of the wrong end of the stick
Das falsche Ende von einem Stock anfassen
Auf dem Holzweg sein

At the end of one's tether
Am Ende seiner Leine
Am Ende seiner Kraft

2. Bauklötze staunen

That's just about the limit
Das ist ungefähr die Grenze
Das ist der absolute Hammer

✳

That's the last straw
Das ist der letzte Strohhalm
Das schlägt dem Faß den Boden aus

✳

To stand there like a stuffed dummy
Wie eine ausgestopfte Kleiderpuppe dastehen
Wie Ölgötzen dastehen

✳

I'll eat my hat if …
Ich esse meinen Hut, wenn …
Ich fresse einen Besen, wenn …

✳

That takes the biscuit
Das nimmt den Keks
Jetzt schlägt's 13

To be beside oneself with joy
Vor Freude neben sich selbst sein
Aus dem Häuschen sein

It only happens once in a blue moon
Es passiert nur einmal bei blauem Mond
Das kommt alle Jubeljahre vor

In the middle of nowhere
In der Mitte von Nirgendwo
Wo sich Fuchs und Hase ‹Gute Nacht› sagen

To be flabbergasted
Verblüfft sein
Platt sein

To get the shock of one's life
Den Schrecken seines Leben bekommen
Sein blaues Wunder erleben

✻

Thunderstruck
Donnergeschlagen
Wie vom Blitz getroffen

✻

To be struck all of a heap
In einen Haufen geschlagen werden
Da vergeht einem Hören und Sehen

✻

It beggars description
Es übertrifft jede Beschreibung
Das geht auf keine Kuhhaut

✻

Like a dying duck in a thunderstorm
Wie eine sterbende Ente im Gewitter
Wie der Ochse vorm Berg

✻

To grin like a Cheshire cat
Grinsen wie eine Cheshire-Katze
Beknackt grinsen

3.
Kohle
machen

To know the ropes
Die Taue kennen
Die Spielregeln kennen

*

Big shots
Große Schüsse
Die großen Tiere

*

To save up for a rainy day
Ersparnisse für einen verregneten Tag
Auf die hohe Kante legen

To get down to brass tacks
Auf Messingnägel herunterkommen
Zur Sache kommen

*

To line one's pockets
Sich die Taschen füttern
Kohle machen

*

That's all grist to his mill
Das ist Mahlgut für seine Mühle
Das ist Wind in seinen Segeln

*

It went like clockwork
Es lief wie ein Uhrwerk
Es lief wie am Schnürchen

*

The ball's in your court
Der Ball ist in deinem Feld
Jetzt sind Sie dran

*

To be full of beans
Voll von Bohnen sein
Springlebendig sein

*

Let's play it safe
Laß uns sicher spielen
Auf Nummer Sicher gehen

To suit someone down to the ground
Das paßt bis runter zum Boden
Einsame Klasse

A bird in the hand is worth two in the bush
Ein Vogel in der Hand ist soviel wert wie zwei im Busch
Ein Spatz in der Hand ist besser als eine Taube auf dem Dach

To sell like hot cakes
Sich wie warme Kuchen verkaufen
Es verkauft sich wie warme Semmeln

*

As cool as a cucumber
Kühl wie eine Gurke
Die Ruhe selbst sein

*

Every dog has his day
Jeder Hund hat seinen Tag
Jeder hat einmal einen guten Tag

*

The early bird catches the worm
Der frühe Vogel fängt den Wurm
Morgenstund' hat Gold im Mund

*

For a song
Für ein Lied
Für 'n Appel und 'n Ei

*

To go green with envy
Vor Neid grün werden
Vor Neid platzen

I wouldn't go there for all the tea in China
Ich würde da nicht für den ganzen Tee von China hingehen
Zehn Pferde würden mich nicht dahinbringen

Pots of money
Töpfe mit Geld
Geld wie Heu

*

To live in clover
Im Klee leben
Wie Gott in Frankreich leben

*

To live the life of Riley
Das Leben von Riley leben
Wie Gott in Frankreich leben

*

Softly, softly catchee monkey
Vorsichtig, vorsichtig fängt man einen Affen
Mit Geduld und Spucke fängt man eine Mucke

*

It's the real McCoy
Das ist der richtige McCoy
Das ist der wahre Jacob

*

It's make or break
Es ist machen oder brechen
Auf Biegen und Brechen

To have a whale of a time
Eine Walfischzeit haben
Sauwohl gehen

＊

Lots of lolly
Ne Menge Lollies
Ne Menge Kies

＊

Dough
Teig
Knete, Piepen, Kohle, Zaster, Moneten

＊

Zaster oder Moos ...

… ist für den Engländer brass oder tin,
für den Amerikaner dough oder jack oder spondulics.
Wenn Sie am falschen Ende gespart haben und sich auf englisch darüber
ärgern wollen, können Sie sich penny-wise and pound-foolish
nennen und Ihr Geld in den Kamin schreiben:
You may whistle for your money.
Haben Sie aber einen Notgroschen auf die hohe Kante gelegt,
have you put by some money for a rainy day,
dann werden Sie nie short by cash sein
oder gar dead-broke, blank.
Es ist immer gut, to have lodged some money with a banker.

4. Dumm wie Bohnenstroh

Talk one's head off
Seinen Kopf abreden
Ein Loch in den Bauch reden

＊

To go like a bull at a gate
Wie ein Bulle am Zaun gehen
Mit der Tür ins Haus fallen

＊

He is completely cracked
Er ist total gesprungen
Er hat einen Rappel

＊

He is cracking up
Er bricht auseinander
Er dreht durch

To be half-baked
Halbgebacken sein
Noch grün hinter den Ohren

✳

He's round the bend
Er ist um die Ecke
Er hat 'nen Klaps

✳

His fingers are all thumbs
Seine Finger sind alle Daumen
Er hat zwei linke Hände

✳

Fortune favours fools
Das Glück bevorzugt Doofe
Mancher hat mehr Glück als Verstand

✳

He's a bit uppity
Er ist anmaßend
Er ist hochnäsig

✳

To rush one's fences
Seine Zäune zu schnell überspringen
Etwas übers Knie brechen

To count one's chickens before they are hatched
Seine Küken zählen, bevor sie ausgeschlüpft sind
Zu früh hurra schreien

✳

I haven't got a clue
Ich habe keinen Hinweis
Mein Name ist Hase

✳

To make no headway
Keine Fortschritte machen
Nicht vom Fleck kommen

To be a blockhead
Ein Dummkopf sein
Ein Brett vor dem Kopf haben

❋

To set a fox to keep the geese
Einen Fuchs hinsetzen, um die Gänse zu bewachen
Den Bock zum Gärtner machen

❋

To trust the cat to keep the cream
Der Katze trauen, daß sie die Sahne unberührt läßt
Den Bock zum Gärtner machen

❋

You can't teach an old dog new tricks
Einem alten Hund kann man keine neuen Tricks beibringen
Was Hänschen nicht lernt, lernt Hans nimmermehr

❋

The pot calling the kettle black
Ein Topf nennt den Kessel schwarz
Ein Esel schilt den andern Langohr

❋

To put one's foot in it
Seinen Fuß hineintun
Ins Fettnäpfchen treten

To drop a brick
Einen Backstein fallen lassen
Einen Schnitzer machen

I don't give a damn
Ich gebe keinen Fluch
Es ist mir schnuppe

It's all Greek to me
Das ist alles Griechisch für mich
Ich verstehe nur Bahnhof

Far-fetched

Weit hergeholt

An den Haaren herbeigezogen

To put the cart before the horse
Die Karre vor das Pferd spannen
Das Pferd beim Schwanz aufzäumen

✻

To bite the hand that feeds you
Die Hand beißen, die einen füttert
Den Ast absägen, auf dem man sitzt

✻

To be as mad as a March hare
Verrückt sein wie ein Hase im März
Übergeschnappt sein

✻

To be as mad as a hatter
Verrückt wie ein Hutmacher
Übergeschnappt sein

✻

To buy a pig in a poke
Ein Schwein in einem Beutel kaufen
Die Katze im Sack kaufen

✻

As thick as two short planks
So dick wie zwei kurze Bretter
Dumm wie Bohnenstroh

To behave like a bull in a china shop
Sich wie ein Bulle im Porzellanladen benehmen
Sich wie ein Elefant im Porzellanladen benehmen

✳

He can't make head or tail of it
Er kann weder Kopf noch Schwanz daraus machen
Er wird daraus nicht klug

Enough is as good as a feast
Genug ist so gut wie ein Fest
Allzuviel ist ungesund

*

To cut off one's nose to spite one's face
Seine eigene Nase abschneiden, um das Gesicht zu ärgern
Sich ins eigene Fleisch schneiden

*

His bark is worse than his bite
Sein Bellen ist schlimmer als sein Beißen
Bellende Hunde beißen nicht

*

To throw a sprat to catch a mackerel
Mit einer Sprotte nach einer Makrele werfen
Mit der Wurst nach der Speckseite werfen

*

To bite off more than one can chew
Mehr abbeißen, als man kauen kann
Die Augen sind größer als der Magen

*

That's all my eye and Betty Martin
Mein ganzes Auge und Betty Martin
Das ist total beknackt

He won't set the Thames on fire
Er wird die Themse nicht in Flammen setzen
Der reißt keine Bäume aus

To make a mountain out of a molehill
Aus einem Maulwurfshaufen einen Berg machen
Aus einer Mücke einen Elefanten machen

It's a closed book
Das ist ein geschlossenes Buch
Das ist ein Buch mit sieben Siegeln

To carry coals to Newcastle
Kohlen nach Newcastle tragen
Eulen nach Athen tragen

*

Not to be able to hold a candle to someone
Unfähig, jemandem eine Kerze zu halten
Jemandem nicht das Wasser reichen können

To burn the candle at both ends
Die Kerze an beiden Enden anzünden
Seine Gesundheit aufs Spiel setzen

✳

Don't cross your bridges before you come to them
Geh nicht über deine Brücken, bevor du zu ihnen kommst
Kümmer dich nicht um ungelegte Eier

✳

To have bats in the belfry
Fledermäuse im Glockenturm haben
Einen Vogel haben

✳

To have bees in one's bonnet
Bienen in der Mütze haben
Ein Tick unter dem Pony

✳

To bark up the wrong tree
Den falschen Baum anbellen
Auf dem falschen Dampfer sitzen

Don't talk rot
Red kein Verfall
Red' kein Mumpitz

To live like a lord
Wie ein Fürst leben
Auf großem Fuß leben

5.
Mit allen Wassern gewaschen

To smell a rat
Eine Ratte riechen
Den Braten riechen

✻

That's not my pigeon
Das ist nicht meine Taube
Das ist nicht mein Bier

✻

Beggars can't be choosers
Bettler haben keine Wahl
In der Not frißt der Teufel Fliegen

✻

To be a lying so-and-so
Ein Lügender so-und-so
Er lügt wie gedruckt

✻

To have a finger in the pie
Einen Finger in der Pastete haben
Eine Hand im Spiel haben

✻

To go scot-free
Frei wie ein Schotte
Noch mal durchgerutscht

To turn a blind eye
Ein blindes Auge auf etwas richten
Ein Auge zudrücken

To know something back to front
Etwas von hinten bis vorne kennen
Etwas aus dem Effeff verstehen

Like a bat out of hell
Wie eine Fledermaus aus der Hölle
Wie ein geölter Blitz

A dark horse
Ein dunkles Pferd
Eine unbekannte Größe

*

To be two-faced
Mit zwei Gesichtern
Ein falscher Fünfziger

*

He's a goody-goody
Er ist ein goody-goody
Er ist ein Radfahrer

To butter someone up
Jemanden aufbuttern
Jemandem Honig um den Bart schmieren

✻

To cock a snook
Einen «Snook» aufrichten
Eine lange Nase machen

✻

He makes no bones about it
Er bricht keine Knochen darüber
Nicht viel Federlesens machen

✻

He doesn't mince matters
Er zerhackt die Sachen nicht
Er nimmt kein Blatt vor den Mund

✻

In the twinkling of an eye
Beim Zwinkern eines Auges
Im Handumdrehen

✻

To be up to every trick
Jeden Trick draufhaben
Mit allen Wassern gewaschen

A smooth customer
Ein glatter Kunde
Ein ganz geriebener Kerl

*

To win hands down
Mit Händen nach unten gewinnen
Ohne einen Finger krumm zu machen

To get on the gravy train
Auf den Bratensoßenzug springen
Absahnen

✳

To put paid to someone's plans
Bezahlt sagen zu den Plänen von jemandem
Jemandem einen Strich durch die Rechnung machen

✳

The coast is clear
Die Küste ist klar
Die Luft ist rein

✳

To pull a fast one
Einen schnell ziehen
Einem etwas auf die Nase binden

✳

Once bitten, twice shy
Einmal gebissen, doppelt gescheut
Gebranntes Kind scheut das Feuer

✳

To run with the hare and hunt with the hounds
Mit dem Hasen laufen und mit den Hunden jagen
Auf zwei Hochzeiten tanzen

✳

To pull the wool over someone's eyes
Jemandem die Wolle über die Augen ziehen
Jemandem Sand in die Augen streuen

✳

To throw someone off the scent
Jemanden von der Fährte abbringen
Jemandem Sand in die Augen streuen

He knows which side his bread is buttered on
Er weiß, auf welcher Seite sein Brot mit Butter bestrichen ist
Er weiß, wo Barthel den Most holt

To save one's bacon
Seinen Speck retten
'n Satz machen

To see how the cat jumps
Sehen, wie die Katze springt
Sehen, wie der Hase läuft

To see how the wind blows
Sehen, wie der Wind weht
Sehen, wie der Hase läuft

To know one's stuff
Seine Sachen kennen
Auf Draht sein

*

A white lie
Eine weiße Lüge
Eine fromme Lüge

*

To have two strings to one's bow
Zwei Sehnen für seinen Bogen haben
Mehrere Eisen im Feuer haben

*

To take someone for a ride
Jemanden mitnehmen
Jemanden auf die Schippe nehmen

To pull someone's leg
Jemanden am Bein ziehen
Jemanden auf die Schippe nehmen

❋

To call a spade a spade
Einen Spaten einen Spaten nennen
Das Kind beim rechten Namen nennen

❋

To know something like the back of one's hand
Etwas kennen wie seinen Handrücken
Etwas wie seine Westentasche kennen

❋

As plain as the nose on your face
So offensichtlich wie die Nase in deinem Gesicht
Das ist sonnenklar

❋

To kill two birds with one stone
Zwei Vögel mit einem Stein töten
Zwei Fliegen mit einer Klappe schlagen

To laugh up one's sleeve
In seinen Ärmel hineinlachen
Sich ins Fäustchen lachen

*

The proof of the pudding is in the eating
Der Beweis des Puddings liegt im Essen
Probieren geht über studieren

*

Straight from the horse's mouth
Direkt aus dem Mund des Pferdes
Direkt von der Quelle

*

To have all the jam
Die ganze Marmelade haben
Die Rosinen aus dem Kuchen picken

*

He's a sly old dog
Er ist ein schlauer alter Hund
Er hat es faustdick hinter den Ohren

To show one's true colours
Die wahren Farben zeigen
Sein wahres Gesicht zeigen

To hit the jack-pot
Den Jack-Pot treffen
Das große Los ziehen

*

To split one's sides laughing
Lachen, bis einem die Seiten spalten
Sich totlachen

*

Tickled pink
Rosa gekitzelt
Köstlich amüsiert

*

He won't budge an inch
Er rührt sich keinen Inch
Er weicht keinen Fingerbreit zurück

*

To stand head and shoulders above the rest
Kopf und Schulter über dem Rest stehen
Haushoch überlegen sein

*

To lead someone up the garden path
Jemanden den Gartenweg hinaufführen
Jemanden aufs Glatteis führen

*

To make hay while the sun shines
Heu machen, während die Sonne scheint
Das Eisen schmieden, solange es heiß ist

*

Jack-of-all-trades
Bube in allen Geschäften
Hans Dampf in allen Gassen

*

As sure as eggs is eggs
So sicher wie Eier Eier sind
Klar wie Kloßbrühe

To feather one's nest
Sein Nest mit Federn auspolstern
Sein Schäfchen ins Trockene bringen

Butter wouldn't melt in her mouth
Butter würde in ihrem Mund nicht schmelzen
Sie sieht aus, als könne sie kein Wässerchen trüben

To take the line of least resistance
Die Linie des geringsten Widerstandes nehmen
Das Brett bohren wo's am dünnsten ist

6. Sauer sein

Piss off
Hau ab
Schieß in 'n Wind

✶

To look daggers at someone
Jemandem Dolche ansehen
Einen mit Blicken zerfleischen

✶

To slink off with one's tail between one's legs
Mit dem Schwanz zwischen den Beinen wegkriechen
Wie ein begossener Pudel abziehen

✶

To hit the roof
Ans Dach anstoßen
An die Decke gehen

✶

To talk until one is blue in the face
Reden, bis man blau im Gesicht ist
Sich den Mund fusselig reden

✶

To come down on someone like a ton of bricks
Auf jemanden runterkommen wie 'ne Tonne von Ziegelsteinen
Über den Mund fahren

To tread on someone's toes
Jemandem auf die Zehen treten
Jemandem auf den Schlips treten

To give a broad hint
Einen breiten Wink geben
Ein Wink mit dem Zaunpfahl

To get on someone's wick
Jemandem auf den Docht gehen
Einem auf die Nerven gehen

*

To be a pain in the neck
Ein Schmerz im Genick sein
Einem auf die Nerven gehen

*

To take someone down a peg or two
Jemanden eine Stufe oder zwei tiefer hängen
Jemandem einen Dämpfer aufsetzen

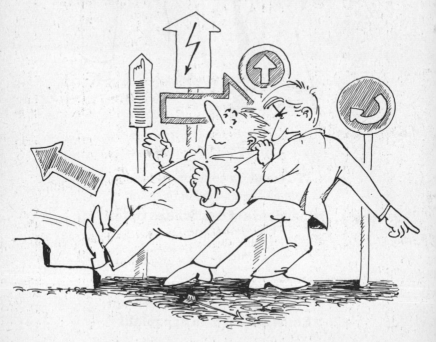

I have a bone to pick with you
Ich habe mit dir einen Knochen zu pulen
Ich habe mit dir ein Hühnchen zu rupfen

*

I have a crow to pluck with you
Ich habe mit dir eine Krähe zu rupfen
Ich habe mit dir ein Hühnchen zu rupfen

*

It's no picnic
Es ist kein Picknick
Das ist kein Honigschlecken

*

Higgledy-piggledy
Drunter und drüber

*

To fly off the handle
Vom Griff wegfliegen
Aus der Haut fahren

*

To haul someone over the coals
Jemanden über die Kohlen ziehen
Jemandem aufs Dach steigen

✳

To give someone a good dressing-down
Jemandem eine richtige Strafpredigt halten
Jemandem zeigen, was eine Harke ist

✳

To give someone a piece of one's mind
Einem ein Stück von seinem Geist geben
Jemandem den Kopf waschen

✳

Get lost
Geh verloren
Zieh Leine

✳

Jump in a lake
Spring in einen See
Geh dahin, wo der Pfeffer wächst

✳

Go to hell
Fahr zur Hölle
Scher dich zum Teufel

∗

You can bet your life on that
Du kannst dein Leben darauf verwetten
Darauf kannst du Gift nehmen

∗

To be at sixes and sevens
Bei den Sechsen und Siebenen sein
Sich in den Haaren liegen

∗

To be at loggerheads
Bei den Dummköpfen sein
Sich in den Haaren liegen

I'm sick and tired of it
Ich bin krank und müde davon
Das hängt mir zum Hals raus

The straw that breaks the camel's back
Der Strohhalm, der den Rücken des Kamels bricht
Das schlägt dem Faß den Boden aus

To bang one's head against a brick wall
Den Kopf gegen eine Backsteinmauer stoßen
Mit dem Kopf gegen die Wand rennen

✻

To breathe fire and brimstone
Feuer und Schwefel ausatmen
Gift und Galle spucken

✻

To put a spoke in someone's wheel
Einem eine Speiche ins Rad stecken
Einem den Knüppel zwischen die Beine werfen

✻

To throw a spanner in the works
Einen Schraubenschlüssel ins Getriebe werfen
Einem den Knüppel zwischen die Beine werfen

✻

A fly in the ointment
Eine Fliege in der Salbe
Ein Haar in der Suppe

✻

To knit one's brows
Seine Augenbrauen zusammenstricken
Die Stirn runzeln

✽

That's a pretty kettle of fish
Das ist ein hübscher Kessel mit Fisch
Eine schöne Bescherung

✽

That's a fine ‹how d'ye do›
Das ist ein feines ‹Wie geht's›
Da haben wir die Bescherung

✽

Put that in your pipe and smoke it
Tu das in deine Pfeife und rauche es
Das kannst du dir hinter die Ohren schreiben

✽

To throw up the sponge
Den Schwamm hochwerfen
Die Flinte ins Korn werfen

✽

A storm in a teacup
Sturm in einer Teetasse
Ein Sturm im Wasserglas

There wasn't a soul to be seen
Kein Seele war zu sehen
Kein Schwein war da

Tell that to the Marines
Erzähl das den Marineinfanteristen
Das mach einem anderen weis

To swallow the pill
Die Pille schlucken
In den sauren Apfel beißen

✳

Grin and bear it
Grinsen und es ertragen
In den sauren Apfel beißen

✳

Fish for information
Nach Informationen fischen
Auf den Busch klopfen

To be fed up to the back teeth
Satt sein bis zu den Hinterzähnen
Die Schnauze voll haben

✳

To tell someone where to get off
Jemandem sagen, wo er aussteigen soll
Jemandem die Leviten lesen

✳

To put the wind up someone
Jemandem den Wind einjagen
Jemanden bange machen

✳

To be hopping mad
Hüpfend wütend sein
Stinksauer sein

✳

To cut someone short
Jemanden kurzscheren
Jemandem über den Mund fahren

✳

To burn one's boats
Seine Boote verbrennen
Alle Brücken hinter sich abbrechen

You can say good-bye to that
Zu dem kannst du auf Wiedersehen sagen
Das kannst du dir in den Wind schreiben

∗

To drive someone crazy
Jemanden verrückt fahren
Jemanden auf die Palme bringen

What's bitten him?
Was hat ihn gebissen?
Welche Laus ist ihm über die Leber gelaufen?

He's a millstone round my neck
Er ist ein Mühlstein an meinem Hals
Er ist mir ein Klotz am Bein

He's a thorn in my side
Er ist ein Dorn in meiner Seite
Er ist mir ein Dorn im Auge

7. Jacke wie Hose

Don't trouble your head about it
Darüber zerbrich dir deinen Kopf nicht
Darüber laß dir keine grauen Haare wachsen

✳

Hit or miss
Treffen oder nicht treffen
Auf gut Glück

✳

It's all haywire
Es ist alles Heudraht
Drunter und drüber

Sweet Fanny Adams
Süße Fanny Adams
Für nichts und wieder nichts

✳

Six of one and half a dozen of the other
Sechs von einem und ein halbes Dutzend von dem anderen
Jacke wie Hose

✳

To chop and change
Zerhacken und wechseln
Rein in die Kartoffeln – raus aus den Kartoffeln

✳

To blow hot and cold
Heiß und kalt blasen
Rein in die Kartoffeln – raus aus den Kartoffeln

✳

To flog a dead horse
Ein totes Pferd peitschen
Etwas tun für nichts und wieder nichts

✳

Nobody cares two hoots about it
Niemand gibt zwei Hupen dafür
Danach kräht kein Hahn

*

It's about as broad as it's long
Das ist ungefähr so breit wie lang
Gehupft wie gesprungen

By hook or by crook
Beim Haken oder beim Krummstab
Gehupft wie gesprungen

∗

There's neither rhyme nor reason in that
Das hat weder Reim noch Vernunft
Das hat weder Hand noch Fuß

∗

It's nothing to write home about
Darüber lohnt es sich nicht, nach Hause zu schreiben
Deshalb bricht die Welt nicht zusammen

∗

You can't make a silk purse out of a sow's ear
Aus einem Sauohr kannst du keinen seidenen Geldbeutel machen
Aus nichts wird nichts

∗

Every Tom, Dick and Harry
Jeder Tom, Dick und Harry
Hinz und Kunz

∗

It's Hobson's choice
Das ist Hobsons Wahl
Dies oder gar nichts

Common or garden ...
Gemeindeplatz oder Garten
08/15

✳

Run of the mill
Das Laufen der Mühle
08/15

✳

What's sauce for the goose is sauce for the gander
Was die Soße für die Gans, ist die Soße für den Gänserich
Was dem einen recht, ist dem anderen billig

✳

8. Dicke Freunde

To get on like a house on fire
Miteinander auskommen wie ein brennendes Haus
Dicke Freunde sein

*

To live in sin
In Sünde leben
In wilder Ehe leben

*

As sound as a bell
Gesund wie eine Glocke
Gesund wie ein Fisch

*

To be in the pink
Im Rosa sein
Gesund wie ein Fisch

*

As happy as a sandboy
Glücklich wie ein Sandknabe
Sich wie ein Schneekönig freuen

*

As merry as a lark
Fröhlich wie eine Lerche
Sich wie ein Schneekönig freuen

He's as pleased as Punch
Er ist froh wie ein Kasperle
Er freut sich wie ein König

To be as fit as a fiddle
Fit wie eine Geige sein
Gesund wie ein Fisch im Wasser

✳

To wear one's heart on one's sleeve
Sein Herz auf seinem Ärmel tragen
Das Herz auf der Zunge haben

✳

Between you and me and the gatepost
Zwischen dir und mir und dem Torpfosten
Unter vier Augen

✳

A hen party
Eine Hennenparty
Kaffeekränzchen

✳

To be the spit and image of someone
Die Spucke und das Bild von jemandem sein
Jemandem wie aus dem Gesicht geschnitten sein

✳

To take up the cudgels for someone
Die Knüppel für jemanden aufnehmen
Für jemanden die Lanze brechen

To take a great fancy to someone
Eine große Zuneigung zu jemandem nehmen
Einen Narren an jemandem fressen

To be head over heels in love
Kopf über Fersen verliebt sein
Bis über die Ohren verliebt sein

To have a crush on someone
Auf jemanden zerdrückt sein
In jemanden verknallt sein

Spick and span
Nagel und Span
Geschniegelt und gebügelt

To be as good as gold
Gut wie Gold sein
Kreuzbrav sein

*

To be a chip off the old block
Ein Span vom alten Klotz sein
Ein Ast vom alten Stamm sein

*

Cock of the walk
Der Hahn auf dem Spazierweg
Der Hahn im Korbe

A bad egg
Ein schlechtes Ei
Ein schwerer Junge

✳

To keep someone up to scratch
Jemanden auf den Kratzer halten
Einen bei der Stange halten

✳

A hen-pecked husband
Ein von der Henne gepickter Mann
Ein Pantoffelheld

✳

Birds of a feather flock together
Vögel einer Feder scharen sich zusammen
Gleich und gleich gesellt sich gern

✳

Bag and baggage
Tasche und Gepäck
Mit Kind und Kegel

There's honour among thieves
Es gibt Ehrerbietung unter Dieben
Eine Krähe hackt der anderen kein Auge aus

*

To screw
Jemanden schrauben
Bumsen

To have it off with someone
Es abhaben mit jemandem
Bumsen

*

To bang
knallen
Bumsen

❋

To have a bun in the oven
Ein Brötchen im Ofen haben
Schwanger sein

❋

AC/DC
Wechselstrom/Gleichstrom
Bi(sexuell)

❋

A nice piece of crumpet
Ein schönes Stück Teegebäck
Ein steiler Zahn

❋

On the game
Auf dem Spiel
Auf dem Strich

❋

To be dressed up to the nines
Bis zu den Neunen gekleidet sein
Sich in Schale werfen

*

To be dressed up like a dog's dinner
Gekleidet wie ein Hundeessen
Geputzt wie ein Pfingstochse

*

To be dressed to kill
Gekleidet zum Töten sein
Aufgedonnert sein

*

To be in someone's good books
In seinen guten Büchern sein
Bei jemandem einen Stein im Brett haben

*

To be a rough diamond
Ein ungeschliffener Diamant sein
Ein Rauhbein sein

*

As like as two peas in a pod
Ähnlich wie zwei Erbsen in einer Hülse
Sich gleichen wie ein Ei dem anderen

*

As like as chalk to cheese
So ähnlich wie Kreide und Käse
Sie gleichen einander wie Tag und Nacht

*

He'll bend over backwards
Er würde sich auch nach hinten beugen
Er reißt sich ein Bein aus

*

9.
Voller
Laster

He's a dead loss
Er ist ein toter Verlust
Ein hoffnungsloser Fall

✳

As drunk as a lord
Betrunken wie ein Fürst
Voll wie eine Haubitze

✳

A wet blanket
Eine nasse Decke
Schlappschwanz

✳

The bone of contention
Der Streitknochen
Der Zankapfel

✳

As ugly as sin
Häßlich wie die Sünde
Häßlich wie die Nacht

✳

To be known all over the place
Überall bekannt sein
Bekannt wie ein bunter Hund

He won't strain himself
Er wird sich nicht überanstrengen
Er reißt sich kein Bein aus

*

A good-for-nothing
Ein Gut-für-nichts
Ein Taugenichts

*

A dog in the manger
Ein Hund im Stall
Ein Spielverderber

*

Daylight robbery
Taglicht-Diebstahl
Beutelschneiderei

*

I could eat that till the cows come home
Das könnte ich essen, bis die Kühe nach Hause kommen
Das könnte ich essen bis zum geht nicht mehr

*

Three sheets in the wind
Drei Laken im Wind
Sternhagelvoll

To put one's oar in
Sein Ruder hineinstecken
Seinen Senf dazugeben

*

To have a catnap
Ein Katzen-Schläfchen machen
Ein Nickerchen machen

*

Forty winks
Vierzig Blinzler
Ein Nickerchen

*

To sow one's wild oats
Seinen wilden Hafer säen
Sich die Hörner abstoßen

*

To sell someone a pup
Jemandem ein Hundebaby verkaufen
Jemanden übers Ohr hauen

*

To have one over the eight
Einen über die Acht nehmen
Einen über den Durst trinken

He won't raise a finger
Er wird keinen Finger hochheben
Keinen Finger krumm machen

❋

To eat someone out of house and home
Jemanden aus dem Haus und aus der Wohnung essen
Jemandem die Haare vom Kopf fressen

To be hand in glove with
Hand im Handschuh sein mit
Unter einer Decke stecken

Set the ball rolling
Den Ball zum Rollen bringen
Den Stein ins Rollen bringen

*

10. Ranklotzen

Pull your finger out
Zieh deinen Finger raus
Mach mal Dampf

＊

Take to it like a duck to water
Sich hingezogen fühlen wie die Ente ans Wasser
In seinem Element sein

＊

To have something at one's fingertips
Etwas in seinen Fingerspitzen haben
Etwas am Schnürchen haben

To go the whole hog
Das ganze Schwein nehmen
Aufs Ganze gehen

✳

Hell for leather
Hölle für Leder
Schnell wie der Blitz

✳

To paint the town red
Die Stadt rot anmalen
Auf die Pauke hauen

✳

He was there before you could say Jack Robinson
Er war da, bevor man Jack Robinson sagen konnte
Er war ruck-zuck da

✳

To put all one's eggs in one basket
Alle Eier in einen Korb tun
Alles auf eine Karte setzen

✳

To pull out all the stops
Alle Stöpsel herausziehen
Alle Hebel in Bewegung setzen

*

To put one's nose to the grindstone
Seine Nase an den Mühlstein halten
Ranklotzen

To beaver away
Losbibern
Wie ein Pferd arbeiten

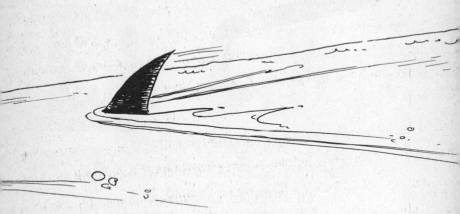

Schlagfertige Definitionen

*

Von **A**berglaube bis **Z**ynismus

Ausgewählt
von Lothar Schmidt

5000 geschliffene
Begriffsbeschreibungen
für Rede, Gespräch,
Diskussion, Referat,
Artikel oder Brief

rororo handbuch 6186

Zum Nachschlagen und Informieren

Handlexikon zur Literaturwissenschaft

Hg. von Diether Krywalski. Band 1: Ästhetik–Literaturwissenschaft, materialistische [6221]. Band 2: Liturgie–Zeitung [6222]

Lexikon der Archäologie

Warwick Bray / David Trump
Band 1: Abbevillien–Kyros der Große
Band 2: Labyrinth–Zweitbestattung
Mit 94 Abb. auf Tafeln u. zahlr. Textillustrationen [6187 u. 6188]

Lexikon der griechischen und römischen Mythologie

von Herbert Hunger mit Hinweisen auf das Fortwirken antiker Stoffe und Motive in der bildenden Kunst, Literatur und Musik des Abendlandes bis zur Gegenwart [6178]

Begriffslexikon der Bildenden Künste

In 2 Bänden. Die Fachbegriffe der Baukunst, Plastik, Malerei, Grafik und des Kunsthandwerks. Mit 800 Stichwörtern, über 250 Farbfotos, Gemäldereproduktionen, Konstruktionszeichnungen, Grundrissen und Detailaufnahmen.
Band 1: A–K [6142]
Band 2: L–Z [6147]

Künstlerlexikon

985 Biographien der großen Maler, Bildhauer, Baumeister und Kunsthandwerker. Mit 290 Werkbeispielen, davon 245 in Farbe. Bd. 1 [6165]; Bd. 2 [6166]

Comics-Handbuch

von Wolfgang J. Fuchs und Reinhold Reitberger. Das «Comics-Handbuch» bietet viel Anschauung, sachliche Informationen und Analysen; es gibt Interpretationshilfen und vermittelt Bewertungsmaßstäbe für alle, die sich aus Neigung oder Beruf mit Comics befassen. [6215]

Lexikon der Kunststile

in 2 Bänden. Mit 322 Abbildungen, davon 253 in Farbe. Band 1: Von der griechischen Archaik bis zur Renaissance [6132]; Band 2: Vom Barock bis zur Pop-art [6137]

Lexikon der Weltarchitektur

in 2 Bänden. Hg. von Nikolaus Pevsner, John Fleming und Hugh Honour. Auswahl und Zusammenstellung der Bilder Dr. Walter Romstoeck. Mit über 1000 Abbildungen. Band 1: A–K [6199]; Band 2: L–Z [6200]

rororo Schauspielführer von Aischylos bis Peter Weiss

Hg. von Dr. Felix Emmel. Mit Einführungen in die Literaturepochen, in Leben und Werke der Autoren; 100 Rollen- und Szenenfotos. Anhang: Fachwörterlexikon, Autoren- und Werkregister [6039]

rororo Musikhandbuch

Band 1. Musiklehre und Musikleben [6167]; Band 2. Lexikon der Komponisten, Lexikon der Interpreten, Gesamtregister [6168]

handbuch rororo

Zum Nachschlagen und Informieren

Geschichte des Films

von Ulrich Gregor und Enno Patalas. Dokumentation und Nachschlagewerk zugleich.
Bd. 1: 1895–1939 [6193]
Bd. 2: 1940–1960 [6194]

Film verstehen

von James Monaco. Kunst – Technik – Sprache. Geschichte und Theorie des Films. «Film verstehen» schlüsselt alle Aspekte des Mediums und ihre Beziehungen zueinander auf [6271]

Familienkino

von Michael Kuball. Geschichte des Amateurfilms in Deutschland
Band 1: 1900–1930 [7186]
Band 2: 1931–1960 [7187]

rororo Filmlexikon

Hg. von Liz-Anne Bawden und Wolfram Tichy. Band 1–3: Filme, Filmbeispiele, Genres, Länder, Institutionen, Technik, Theorie [6228, 6229, 6230].
Band 4–6: Personen, Regisseure, Schauspieler, Kameraleute, Produzenten, Autoren [6231, 6232, 6233]

Folk Lexikon

von Kaarel Siniveer. Daß Bewertungen gegeben werden, die sich an musikalischem Können und der Kraft der Texte orientieren, versteht sich aus der Musik selbst heraus. Über sie zu informieren ist Grundlage des Lexikons [6275]

Jazz-Lexikon

von Michael Henkels und Martin Kunzler. In etwa 1000 Artikeln werden Musiker, Gruppen und Bands aus mehr als 50 Jahren explosiv-lebendiger Jazz-Geschichte vorgestellt [6248]

Rockmusik

von Tibor Kneif. Ein Handbuch zum kritischen Verständnis [6279]

Sachlexikon Rockmusik

von Tibor Kneif. Instrumente, Stile, Techniken, Industrie und Geschichte. Aktualisierte und erweiterte Ausgabe [6223]

Rock-Lexikon

von Siegfried Schmidt-Joos und Barry Graves unter Mitarbeit von Bernie Sigg. Aktualisiert und erweitert. 150 neue Biographien [6177]

Marxistisch-leninistisches Wörterbuch der Philosophie

in 3 Bänden. Neubearbeitete und erweiterte Ausgabe. Hg. von Georg Klaus und Manfred Buhr [6155; 6156; 6157]

Lexikon der Erotik

von Ludwig Knoll und Gerhard Jaeckel. Ein Lexikon dieser Art gab es bislang nicht. Es informiert freimütig und befreiend über alle Aspekte der Sexualität und Erotik. Bd. 1: A–K [6218], Bd. 2: L–Z [6219]

Bobby Fischer lehrt Schach

Ein programmierter Schachlehrgang von Weltmeister Bobby Fischer [6870]

rororo
sachbücher

rororo
sachbücher

George W. F. Hallgarten/
Joachim Radkau
Deutsche Industrie und Politik
Von Bismarck bis in die Gegenwart
[7450]

Johannes Hemleben
Jenseits
Ideen der Menschheit über das
Leben nach dem Tode. –
Vom Ägyptischen Totenbuch bis zur
Anthroposophie Rudolf Steiners [7353]

Gerhard Herm
Die Phönizier
Das Purpurreich der Antike
Mit 35 Abb. im Text und auf 16 Tafeln
[6909]

Die Kelten
Das Volk, das aus dem Dunkel kam
[7067]

Werner Keller
Und die Bibel hat doch recht
Forscher beweisen die historische
Wahrheit. Mit 134 Abb. im Text und auf
Kunstdrucktafeln [6614]

**Und die Bibel hat doch recht
in Bildern**
Mit 326 Abb. im Text [6914]

Gerhard Konzelmann
Aufbruch der Hebräer
Der Ursprung des biblischen Volkes
[7175]

Karl Korsch
Karl Marx
Marxistische Theorie und Klassen-
bewegung [7429] Juli '81

Hugo Portisch
So sah ich Sibirien
Europa hinter dem Ural. Mit 191 teils
mehrfarbigen Abb. im Text und auf
Kunstdrucktafeln [6673]

Jacques Presser
**Napoleon – Die Entschlüsselung
einer Legende**
[7301]

Wolf Schneider
Glück – was ist das?
Versuch, etwas zu beschreiben,
was jeder haben will [7392]

Hermann Schreiber
Auf den Spuren der Goten
Mit 32 Farbtafeln und
32 Schwarzweiß-Tafeln [7274]

Werner Sölch
Orient-Express
Glanzzeit und Niedergang eines
Luxuszuges [7321]

Hans-Dieter Stöver
Die Römer
Taktiker der Macht [7160]

Herbert Wendt
Ich suchte Adam
Die Entdeckung des Menschen
Neu durchgesehene und erweiterte
Ausgabe. Mit 93 Abb. im Text und
auf Kunstdrucktafeln [6631]

Wolfgang Wimmer
Die Sklaven
Herr und Knecht – Eine Sozial-
geschichte mit Gegenwart [7169]

Hans Georg Wunderlich
Wohin der Stier Europa trug
Kretas Geheimnis und das Erwachen
des Abendlandes [7198]

Mario Zanot
Die Welt ging dreimal unter
Kometen, Sintflutmythen und
Bibel-Archäologie [7143]

Praktisches Wissen

sachbuch
ro
ro
ro

Dr. med H. ANEMUELLER
Iß dich gesund. Leistungsfähig und aktiv durch Essen mit Verstand [7128]

George R. Bach/Roland M. Deutsch
Pairing. Intimität und Offenheit in der Partnerschaft [7263]

GUNTHER BISCHOFF
Speak you English? Programmierte Übung zum Verlernen typisch deutscher Englischfehler [6857]
Managing Manager English. Gekonnt verhandeln lernen durch Üben an Fallstudien [7129]

Bekommen was man möchte, in sieben Sprachen, die man nicht kann
Bildsprachführer in Englisch, Deutsch, Französisch, Italienisch, Griechisch, Spanisch, Japanisch, Holländisch [7258]

BLOOM / COBURN / PEARLMAN
Die selbstsichere Frau
Anleitung zur Selbstbehauptung [7281]

GÜNTER BUTTLER / REINHOLD STROH
Einführung in die Statistik
Das Buch zum erfolgreichen Fernsehkurs [7318]

MICHAEL CANNAIN / WALTER VOIGT / B + I PROJEKTPLANUNG
Kühles Denken. Wie man mit Analogien gute Ideen findet, erfolgreich improvisiert und überzeugend argumentiert [7140]

Computer. Technik, Anwendung, Auswirkung [7147]

GISELA EBERLEIN
Gesund durch autogenes Training [6875]
Autogenes Training für Fortgeschrittene [6925]

MAREN ENGELBRECHT-GREVE / DIETMAR JULI
Streßverhalten ändern lernen. Programm zum Abbau psychosomatischer Krankheitsrisiken [7193]

BOBBY FISCHER
Bobby Fischer lehrt Schach [6870]

Dr. med. HANNA FRESENIUS
Sauna. Der ärztliche Führer zur Entspannung und Gesundheit durch richtiges Saunabaden [6999]

SIEGFRIED GRUBITZSCH / GÜNTER REXILIUS
Testtheorie – Testpraxis. Voraussetzungen, Verfahren, Formen und Anwendungsmöglichkeiten psychologischer Tests im kritischen Überblick [7157]

ULRICH KLEVER
Klevers Garantie-Diät. Schlank werden mit Sicherheit [7056]
Dein Hund, Dein Freund. Der praktische Ratgeber zu allen Hundefragen [7122]

MANFRED KÖHNLECHNER
Die Managerdiät. Fit ohne Fasten [6851]

WALTER F. KUGEMANN
Lerntechniken für Erwachsene [7123]

EDI LANNERS
Kolumbus-Eier. Tricks, Spiele, Experimente [7257]

RUPERT LAY
Dialektik für Manager. Einübung in die Kunst des Überzeugens [6979]

GERHARD LECHENAUER
Filmemachen mit Super 8 [7069]

LEHRLINGSHANDBUCH
Alles über die Lehre, Berufswahl, Arbeitswelt für Lehrlinge, Eltern, Ausbilder, Lehrer [6212]

PAUL LÜTH
Das Medikamentenbuch für den kritischen Verbraucher. Aktualisierte Ausgabe unter besonderer Berücksichtigung der alternativen rezeptfreien Medikamente [7362]

Mietrecht für Mieter. Juristische Ratschläge zur Selbsthilfe [7084]

ERNST OTT
Optimales Lesen. Schneller lesen – mehr behalten. Ein 25-Tage-Programm [6783]
Optimales Denken. Trainingsprogramm [6836]

Das Konzentrationsprogramm. Konzentrationsschwäche überwinden – Denkvermögen steigern [7099]
Intelligenz macht Schule. Denkspiele zur Intelligenzförderung für 8- bis 14jährige [7155]

SUSANNE VON PACZENSKY
Der Testknacker. Wie man Karriere-Tests erfolgreich besteht [6949]

DR. L. & L. PEARSON
Psycho-Diät. Abnehmen durch Lust am Essen [7068]

LAURENCE J. PETER
Das Peter-Programm. Der 66-Punkte-Plan, mit dem man Probleme, Pannen und Pleiten Paroli bieten kann [6947]

FRIEDRICH H. QUISKE /
STEFAN J. SKIRL / GERALD SPIESS
Arbeit im Team. Kreative Lösungen durch humane Arbeitsform [6926]

FERDINAND RANFT
Ferienratgeber für die Familie. [7279]

ALEKSANDR ROŠAL /
ANATOLIJ KARPOV
Schach mit Karpov. Leben und Spiele des Weltmeisters [7149]

GÜNTHER H. RUDDIES
Testhilfe. Testangst überwinden. Testerfolge erzielen in Schule, Hochschule, Beruf [7082]

WOLF SCHNEIDER
Wörter machen Leute. Magie und Macht der Sprache [7277]

HANS HERBERT SCHULZE
Lexikon zur Datenverarbeitung. Schwierige Begriffe einfach erklärt [6220]

HANS SELYE
Stress. Lebensregeln vom Entdecker des Stress-Syndroms [7072]

JACQUES SOUSSAN
Pouvez-vous Français? Programmierte Übungen zum Verlernen typisch deutscher Französischfehler [6940]

SIEGFRIED STERNER
Die Kunst zu wandern. Wann, wie und womit Wandern zum Erlebnis wird [7089]

HELMUT STEUER / CLAUS VOIGT
Das neue rororo Spielbuch. [6270]

SIEGBERT TARRASCH
Das Schachspiel. Systematisches Lehrbuch für Anfänger und Geübte [6816]

THE BOSTON WOMEN'S
HEALTH BOOK COLLECTIVE
Unser Körper – Unser Leben. Our Bodies, Ourselves. Ein Handbuch von Frauen für Frauen. Bd. 1 [7271], Bd. 2 [7272]

J. N. WALKER
Juniorschach 1. Die ersten Züge. Eröffnungsspiele spielend gelernt [7144]
Juniorschach 2. Angriff auf den König. Mittelspiele spielend gelernt [7145]

W. ALLEN WALLIS /
HARRY V. ROBERTS
Methoden der Statistik. Anwendungsbereiche. 400 Beispiele, Verfahrenstechniken [6091]

DR. HEINRICH WALLNÖFER
Besser als tausend Pillen. Ratgeber der Gesundheitspflege. Mittel und Methoden zur gefahrlosen Selbstbehandlung im Krankheitsfall. Mit 100 Abb. im Text und 10 Tabellen [6152]

BERND WEIDENMANN
Diskussionstraining. Überzeugen statt überreden, Argumentieren statt attackieren [6922]

MARTIN F. WOLTERS
Der Schlüssel zum Computer. Einführung in die elektronische Datenverarbeitung. Eine programmierte Unterweisung.
Band 1: Leitprogramm [6839]
Band 2: Textbuch [6840]

Kaufmännisches Grundwissen strukturiert.
Der Schlüssel zum Industriebetrieb

Band 1: Struktur des Unternehmens und Stellung [7110]

Band 2: Entscheidungen im Beschaffungs-, Produktions- und Absatzbereich [7111]

Band 3: Entscheidungen im Finanzbereich und großer Schlußtest mit Planungsbeispiel [7112]

Kaufmännisches Grundwissen strukturiert.
Der Schlüssel zur Bilanz [7113]

Kaufmännisches Grundwissen strukturiert.
Der Schlüssel zur Betriebswirtschaft [7135]

Der Schlüssel zur Kostenrechnung von Walter Zorn. [7253]

Der Schlüssel zum Programmieren von Claus Jordan und Manfred Bues, Band 1: Textbuch [7314], Band 2: Leitprogramm [7315]